Sophie Curtil

LE COQ

CONSTANTIN BRANCUSI

Atelier des enfants
Musée national d'art moderne

Centre
Georges Pompidou

COCORICOOO O O O !!!

SON CRI RÉSONNE
DANS LE CIEL…

DANS LE BRONZE…

DANS LA PIERRE…

DANS LE BOIS

IL FAIT VIBRER SA CRÊTE DANS UNE SUCCESSION D'ÉCHOS

COCORICO O O

O O O O !!!

IL RÉPÈTE SON CRI À L'INFINI

IL DIT BONJOUR AU MONDE
IL ÉTINCELLE DE TOUT SON OR

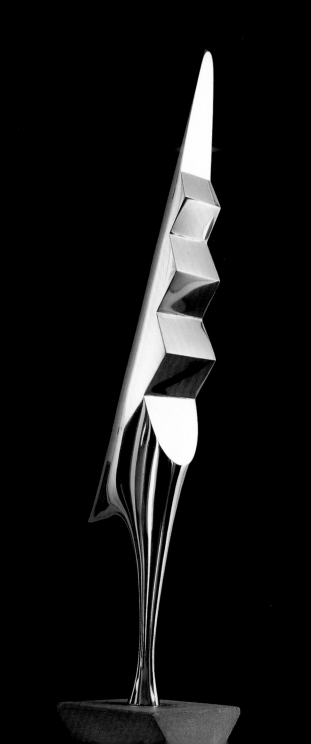

Le Coq, 1935
Bronze poli - Socles pierre et bois
H. 253,5 cm × L. 48 cm × P. 39 cm
Musée national d'art moderne,
Centre Georges Pompidou, Paris.

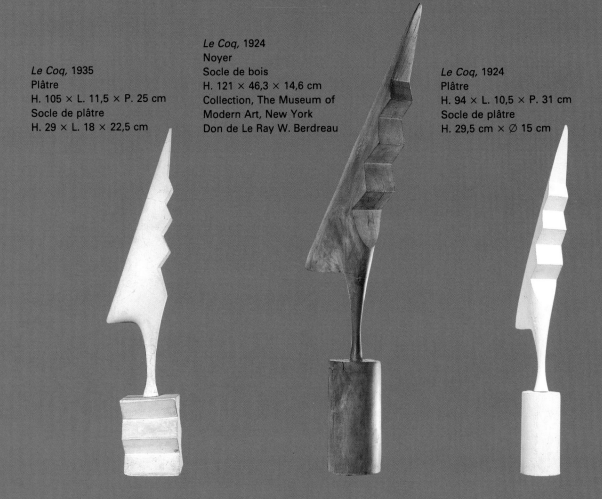

Le Coq, 1935
Plâtre
H. 105 × L. 11,5 × P. 25 cm
Socle de plâtre
H. 29 × L. 18 × 22,5 cm

Le Coq, 1924
Noyer
Socle de bois
H. 121 × 46,3 × 14,6 cm
Collection, The Museum of
Modern Art, New York
Don de Le Ray W. Berdreau

Le Coq, 1924
Plâtre
H. 94 × L. 10,5 × P. 31 cm
Socle de plâtre
H. 29,5 cm × ⌀ 15 cm

Quand le coq se perche sur un autre socle, ou sur plusieurs socles,

Le Coq, 1924
Plâtre
H. 94 × L. 10,5 × P. 31 cm
Socle de plâtre
H. 29,5 × Ø 15 cm
Socles de bois
H. 16,2 × Ø 37 cm
H. 96 × L. 33,5 × P. 33 cm

Le Coq, 1935
Plâtre
H. 105 × L. 11,5 × P. 25 cm
Socles de plâtre
H. 29 × 18 × P. 25 cm
H. 31 × L. 67,3 × 66,2 cm
H. 80 × L. 40,5 × P. 66,2 cm

il devient une nouvelle sculpture .

Mais Brancusi a fait encore d'autres coqs...

C'était il y a longtemps, dans l'atelier du sculpteur ...

COQ GAULOIS
COQ DE BOIS
AUJOURD'HUI DISPARU

Brancusi a photographié lui-même son «coque gauloi», en 1922.

Vue d'atelier. *Le Coq gaulois,* 1922. *Coq bois,* vers 1922. Tirage original.

GRANDS COQS,
COQS DE PLÂTRE BLANC

Dans le fond de son atelier se dressaient quatre coqs de plâtre.
Brancusi les a photographiés vers 1945.

Vue d'atelier. *Les Coqs, Le Roi des Rois,* vers 1945-46. Tirage d'après négatif original.

COQ DORÉ,
COQ DE BRONZE POLI

Mais oui, c'est bien lui, le coq de bronze, photographié par Brancusi, vers 1941 !

Vue d'atelier. *Grands Coqs,* vers 1941-44. Tirage d'après négatif original.

Aujourd'hui, voici l'atelier reconstitué de Brancusi.

COQS DRESSÉS
PARMI LES TÊTES ENDORMIES,
ET LES POISSONS ENSOMMEILLÉS
SUR DES SOCLES SCULPTÉS

SOCLES OU SCULPTURES ?

Zigzags de bois, de pierre ou de plâtre,
colonnes ou quartiers de marbre,
cubes ou cylindres,
plateaux tournants :
Brancusi taillait, sculptait,
polissait ses socles
et en faisait des sculptures
qu'il posait les unes sur les autres

Pierre
H. 32 × L. 54 × P. 54 cm

Bois
H. 112,5 × L. 42,5 × P. 43,5 cm

Bois
H. 90 × L. 35 × P. 35 cm

Pierre
H. 47,5 × L. 38 × P. 38 cm

Plâtre
H. 29 × 18 × P. 22,5 cm

e cachent les deux socles du coq de bronze poli.

Cherche-les !

Bois
H. 23 × L. 42 × P. 41 cm
Bois
H. 68,5 × L. 34 × P. 33,5 cm

Pierre
H. 44,5 cm × L. 19 cm × P. 24,5 cm

Bois
H. 31 × L. 53 × P. 38 cm
Bois
H. 80 × L. 31,5 × P. 32,5 cm

Bois
H. 104 × L. 48 × P. 39 cm

Plâtre
H. 29,5 ∅ 53 cm
Pierre
H. 83 × 44 × P. 22 cm

LE SCULPTEUR

Roumain vivant à Paris, Brancusi n'a qu'une patrie : la Terre.

La terre et le ciel, toute la nature lui donnent envie de sculpter. Il aiguise de grandes haches sur une meule, affûte soigneusement ses outils, entaille directement le bois et la pierre, ou bien polit le bronze pour le faire étinceler.

Brancusi reprend souvent les mêmes thèmes tout au long de sa vie : le nouveau-né, l'oiseau, le poisson, le baiser, la colonne... Il en fait des sculptures qu'il cherche toujours à parfaire, à épurer. Ses coqs, par exemple, existent en bois, en plâtre ou en bronze, mais ils ne sont jamais exactement identiques, car il les modifie selon la matière qu'il utilise. «Un marbre n'est pas un bronze, un bronze n'est pas un bois», répète-t-il.

Petit à petit, Brancusi fait de son atelier sa dernière œuvre d'art. En déplaçant ses sculptures, en les changeant de socle, en les composant en groupes, il organise un véritable environnement qu'il photographie à chaque modification. Et cela jusqu'à sa mort, en 1957, à l'âge de 81 ans.

Aujourd'hui, dans son atelier reconstitué en face du Centre Pompidou, à Paris, ses sculptures sont toujours là.

Dans l'atelier, tout porte la marque du sculpteur, jusqu'aux meubles qu'il a fabriqués lui-même.

« J'AIME
CE
QUI
VA
VERS
LE
HAUT »

Brancusi

Porte sculptée, Chêne, H. 220 cm × L. 174 cm × P. 40 cm
Atelier Brancusi, Musée national d'art moderne, Centre Georges Pompidou, Paris.

Crédits photographiques
Milos Cvach.
Philippe Migeat, Service photographique du Musée national d'art moderne-
Centre de création industrielle, Centre Georges Pompidou, Paris.
Service photographique du Museum of Modern Art, New York

Collection L'ART EN JEU
ISSN : 0764 - 7484
Imaginé par Sophie Curtil, L'ART EN JEU est une collaboration de l'Atelier des enfants
et du Service éducatif (Département du développement culturel du Centre Georges Pompidou).
La collection est dirigée par Elizabeth Amzallag-Augé et Sophie Curtil.

Réalisation de l'ouvrage
Conception visuelle et textes : Sophie Curtil
Conception graphique livre et couverture : François Huertas
Fabrication : Martial Lhuillery